The Magic Moment at Midnight

from the **365 Bedtime Stories Collection**

Written & Illustrated

by

Querida Lu Ahn Funck

El mágico momento ae la medianoche

De la Colección 365 Cuentos para la hora de dormir

escrito e ilustrado

por

Querida Lu Ahn Funck

-DEDICATION-

The Magic Moment at Midnight
is dedicated
to my grandchildren
Brodie & Izzabelle Watts.

Hold the magic in life near to your heart.

-Gramma Q-

-DEDICATORIA-

El mágico momento ae la medianoche está dedicado
a mis nietos Brodie e Izabelle Watts.

Guarda en tu corazón la magia de la vide.

-Abuela Q-

Once Upon a Time...

Habia Una Vez...

D'wayn leaned back against mother's shoulder and tried not to yawn. "Mama, is it New Year's yet?"

His mama snuggled him close and breathed in the fresh smell of the shampoo in his damp hair. "Not yet, baby. Soon." She pulled the blanket higher around his shoulders and gently rocked in the overstuffed chair. The television was on with low volume. She watched the New Year's Eve celebrations on the television and hummed softly to D'wayn.

He pushed the blanket down and started to squirm. This was the first year he was allowed to stay up until New Year's Day and he fought to stay awake.

"Hush, baby. Just relax," Mama whispered.

"Tell me again. What happens at midnight?" D'wayn asked.

"It's a new year at midnight," D'wayn's father said as he came into the room. He handed Mama a cup of tea and sat down on the floor in front of Mama's chair to be near them.

D'wayn yawned, mumbling through the words, "the midgit minut."

D'wayn se apoyó en el hombro de su madre y trató de no bostezar. Mamá, ¿ya es Año Nuevo?

Su madre lo atrajo hacia sí y sintió el aroma fresco del champú en su pelo húmedo.

—Todavía no, cariño. Pronto —le dijo mientras lo arropaba hasta los hombros con la cobija y se mecía suavemente en la mullida mecedora. La televisión estaba encendida con el volumen bajo, y ella veía los festejos del Año Nuevo mientras canturreaba suavemente para D'wayn.

Él se quitó la cobija de encima y empezó a removerse, inquieto. Era el primer año que se le permitía quedarse levantado hasta el día de Año Nuevo y luchaba por mantenerse despierto.

—Tranquilo, mi niño. Relájate —susurró mamá.

—Cuéntame otra vez... ¿Qué pasa a medianoche? —preguntó D'wayn.

—A medianoche comenzará el nuevo año —dijo el padre de D'wayn, entrando en la sala. Le entregó a mamá una taza de té y se sentó en el suelo frente a la mecedora para estar cerca de ellos.

D'wayn bostezó, murmurando entre dientes: "El nuto magi..."

Papa looked up at Mama, puzzled. "What did he say?"

Mama smiled back, rubbing D'wayn's back. "He wants to hear about the Magic Minute that comes at midnight."

"Oh," Papa said. "I don't think he'll stay awake long enough to hear that old story tonight."

"You tell it anyways," Mama said. "He can dream about it."

Papa took a sip of his drink and thought back to the fable his father had told him when he was a little boy.

"There's a magic moment that comes just one time every year. It comes on New Year's Eve at the stroke of midnight. At that very moment, up in the heavens, everything stops for one minute. The Magic Minute," Papa said.

"It's that special moment when Father Time and Baby New Year meet. Father Time's job is to stand witness to everything that happens in the world for just one year."

Papá miró a mamá, desconcertado, y preguntó: —¿Qué dijo?

Mamá le sonrió mientras acariciaba la espalda de D'wayn. —Quiere saber qué pasa en el Minuto Mágico que llega a medianoche.

—Oh —respondió Papá—, no creo que hoy se mantenga despierto lo suficiente como para escuchar esa vieja historia.

—Cuéntala de todos modos —pidió Mamá—. Podrá soñar con ella.

Papá tomó un sorbo de su bebida y pensó en la fábula que su padre le había contado cuando era pequeño. Y al fin dijo:

—Hay un momento mágico que llega sólo una vez al año. Llega en la víspera de Año Nuevo, al filo de la medianoche. En ese momento, en el cielo, todo se detiene durante un minuto. El minuto mágico.

—Es ese momento especial en el que se encuentran el Padre Tiempo y el Bebé Año Nuevo. El trabajo del Padre Tiempo es ser testigo de todo lo que ocurra en el mundo durante solo un año".—

"The whole world?" D'wayn asked softly. "The whole world," Papa agreed. "Why, Father Time has quite a place up there in the Heavens. It's so beautiful. There's no ceiling, and he can see all the the stars above him. The floor of his house is a giant sundial, carved with the phases of the moon and the symbols of the Zodiac. And everywhere you look, there are clocks. From all the world."

Papa grinned. "You see, Father Time takes all this time stuff very seriously. He has to know what time it is here and what time it is in Africa, China, and the North and South Poles."

"Why..." D'wayn mumbled.

Papa didn't believe D'wayn was still awake. That boy was fighting real hard to stay up for midnight. Papa looked up at Mama, who signaled for him to continue the story.

—¿En todo el mundo? —preguntó D'wayn en voz baja. —En todo el mundo —confirmó

Papá—. El Padre Tiempo tiene un lugar muy bonito allá arriba en el Cielo... Es un hermoso sitio.

No tiene techo, y desde allí puede ver todas las estrellas sobre él. El suelo de su casa es un

gigantesco reloj de sol, tallado con las fases de la luna y los símbolos del zodiaco. Y dondequiera

que mires hay relojes, de todo el mundo".

Y Papá continuó con una sonrisa: —Verás, el Padre Tiempo se toma muy en serio la

cuestión del tiempo. Tiene que saber qué hora es aquí y qué hora es en África, China, en el Polo

Norte y en el Polo Sur.

—¿Por qué? —murmuró D'wayn.

Papá no podía creer que D'wayn todavía estuviera despierto. Aquel chico estaba luchando

de verdad por quedarse levantado hasta la medianoche. Papá miró a mamá, que le hizo una

señal para que continuara la historia.

Papa leaned back again and continued, "As I said, Father Time's job is to stand witness to history. Real history. And all of history. Not just what you might read about in school someday. He makes sure it's seen and heard and known. That's a hard, hard job. That's why Father Time always looks like an old man. Witnessing life all over the world is hard. There's good and there's bad. There's times of joy, laughter, and times of struggles. He sees it all. For everyone. Every day. And everywhere. He does it for just one year, standing witness, and recording the history. Then he gets to retire. He turns the job over to Baby New Year."

"And how does he do that, Papa?" Mama prompted, pulling the blanket up over D'Wayn's shoulders again.

"I was just getting to that part. See," Papa continued, "in the magic moment of midnight, Baby New Years comes to see Father Time and all of time stops. It stands still. For us, it's just the sixty seconds between midnight and 12:01 am. But for them, up in the Celestial Heavens, it's longer.

Papá se recostó de nuevo y continuó: —Como ya he dicho, el trabajo del Padre Tiempo es ser testigo de la historia. De la historia real. Y de toda la historia. No sólo de la que puedas leer algún día en la escuela. Se asegura de que la gente vea, escuche y conozca la verdadera historia. Es un trabajo muy, muy duro. Por eso el Padre Tiempo siempre parece un anciano. Ser testigo de la vida en todo el mundo es bien difícil. Hay cosas buenas y cosas malas. Hay momentos de alegría, de risas, y momentos de conflicto. Él lo ve todo. Para todos. Cada día. Y en todas partes. Lo hace sólo durante un año, siendo testigo y registrando la historia. Luego se retira y entrega el trabajo al Bebé Año Nuevo.

—¿Y cómo lo hace, papá? —preguntó Mamá mientras arropaba de nuevo a D'Wayn hasta los hombros.

—Ahora llego a esa parte. Verás —continuó Papá—, en el momento mágico de la medianoche, el bebé Año Nuevo viene a ver al Padre Tiempo y entonces todo el tiempo se para. Se detiene. Para nosotros, son sólo los sesenta segundos que van desde la medianoche hasta las 12:01. Pero para ellos, allá en los cielos, ese tiempo es más largo.

When Father Time and Baby New Year get together, Father Time turns over the Celestial Hourglass, stopping time for the magic moment.

In that moment, Father Time shares his happiest memories of the past year with Baby New Year. He shows him the brightest moments, the best memories, because standing witness to all the things people do – good and bad – is hard. It can be joyful. And it can be very sad sometimes. That's why Father Time looks so old. And that's why Baby New Year starts so young!

Father Time tells Baby New Year, 'Our job is hard, and it is great. We are called to always be prepared to give reason to hope. To listen. To be generous with our time. To let people know they are seen. To be encouraging and remember the acts of kindness, and to love them all. No matter what."

Papa stood up and carefully picked up the sleeping D'wayn from his Mama's arms as he finished the story, "Then Father Time hands the Celestial Hourglass to Baby New Year. He turns it over and the sands of time start to flow again and the clocks tick off the next second."

Cuando el Padre Tiempo y el Bebé Año Nuevo se reúnen, el Padre Tiempo gira el Reloj de Arena Celestial y detiene el tiempo para el momento mágico.

En ese momento, el Padre Tiempo comparte sus recuerdos más felices del año pasado con el Bebé Año Nuevo. Le muestra los momentos más brillantes, los mejores recuerdos, porque ser testigo de todas las cosas buenas y malas que hace la gente es muy difícil. A veces puede ser alegre. Y otras veces puede ser muy triste. Por eso el Padre Tiempo siempre parece tan viejo. Y por eso el Año Nuevo comienza siempre tan joven.

El Padre Tiempo le cuenta al Bebé Año Nuevo: —Nuestro trabajo es duro, pero también es maravilloso. Se nos llama a estar siempre dispuestos a dar razones para la esperanza. A escuchar. A ser generosos con nuestro tiempo. A hacer saber a las personas que hay quien se ocupe de ellas. A dar ánimo y a recordar los actos de bondad. Y a amarlos a todos. Pase lo que pase.

Papá se levantó y recogió cuidadosamente a D'wayn, que se había dormido en brazos de Mamá. Después terminó la historia: —Entonces el Padre Tiempo entrega el Reloj de Arena Celestial al Bebé Año Nuevo, que lo gira: las arenas del tiempo comienzan a fluir de nuevo y los relojes marcan el siguiente segundo.

Mama stood and stretched. They both turned to see the New Year's Eve Ball drop on the television. Mama and Papa exchanged a kiss over the D'wayn's head.

Mama finished the story. "Then magic moment at midnight ends, and a New Year beings."

Mamá se levantó y se estiró, y ambos se volvieron para observar, en la televisión, cómo caía la bola de Año Nuevo. Mamá y papá intercambiaron un beso por sobre la cabeza de D'wayn.

Y Mamá terminó la historia: —Entonces el momento mágico de la medianoche termina, y un nuevo año comienza.

What happened next?

What did D'wayn dream about that night?

What are some of the happy memories you have of the last year?

What are some acts of kindness you have witnessed?

¿Qué pasa después?

¿Qué pasa después?

¿Con qué soñó D'wayn aquella noche?

¿Qué buenos recuerdos te han quedado del último año?

¿Qué actos de bondad has presenciado?

I hope you enjoy your time with
A Magic Moment at Midnight

Please consider leaving a review on
Amazon or Goodreads.
And share this book with a friend!

Espero que disfrutes tu tiempo con

El mágico momento ae la medianoche

Considere dejar una reseña en Amazon o Goodreads
y comparte este libro con un amigo.

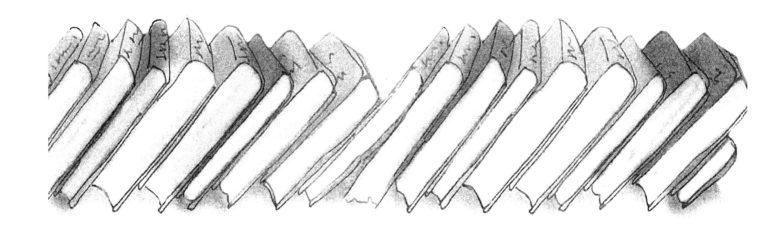

Sign up for New Releases
on my website
www.dreamtimeillustrations.com
or
email me at
Querida@dreamtimeillustrations.com.

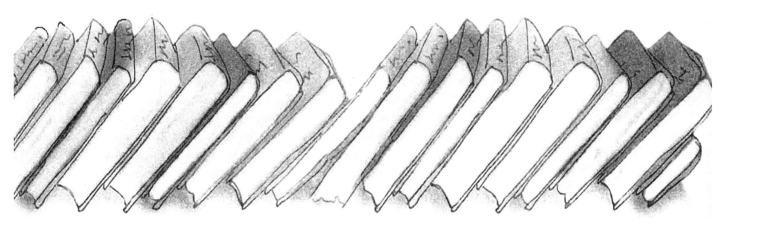

**Regístrese para nuevos lanzamientos
en mi sitio web
www.dreamtimeilustrationes.com
u
envíame un correo electrónico a
Querida@dreamtimeillustrations.com.**

There are more stories to come!

¡Hay más historias por venir!

The 365 Bedtime Stories Collection

The 365 Bedtime Stories Collection starts with an illustration meant to inspire and ignite your imagination.

Each is paired with a short story that starts with *"Once upon a time...."* The story expands around the illustration before asking, *"What happens next?"*

The illustrations are full of color, details, action or mood that pull on your imagination in a manner that you just can't help but answer the question. Each time you or your child reads the book, you have the chance to write a new story. To explore new paths. And to set your imagination free!

Enjoy.

La Colección
de 365 Cuentos Para Dormir

La colección 365 Cuentos para Dormir comienza con una ilustración destinada a inspirar y encender la imaginación.

Cada imagen va acompañada de una breve historia que comienza con "Érase una vez...", se expande en torno al dibujo y luego pregunta: "¿Qué pasa después?"

Las ilustraciones, detalladas y llenas de color, acción y emoción, incentivan la imaginación de tal manera que no puedes evitar responder a la pregunta. Cada vez que tú o tu hijo lean el libro tendrán la oportunidad de escribir una nueva historia, explorar nuevos caminos y dar rienda suelta a su imaginación.

¡Disfruta de esta colección!

-Preview-

-Avance-

Snow Day

Sami, Ryan and Matt were best friends. They grew up living next door to each other. They did everything together, but not <u>always</u> as a team. They often liked to challenge each other and see who could do something better or faster.

Today they were busy playing an online video game while chatting in a conference room.

Sami was the artist of the trio. She liked to draw and she was tallest of the friends. She suspected that Ryan would catch up to her by summer. Matt was the shortest.

The friends never teased each other about their appearance. They knew everything there was to know about each other. The good. The bad. And the embarrassing. They had been dubbed "The Triplets" by Ryan's dad many years ago.

Ryan was book smart and had really good manners. Sami and Matt teased him about that sometimes, but only in good way. Ryan's ability to talk to anybody had gotten them out of trouble more than once.

Matt was the funny guy. Ryan suspected that Matt's 'fun-guy' attitude had gotten him out of trouble on more than one occasion. He was always good for a laugh when you felt sad.

Sami's mom opened the door and poked her head in. "Sami, it's time to put down the game and go shovel. We've already got six inches of snow and it's best to get started while it's still light outside."

"Okay," Sami answered.

"Got it!" Ryan acknowledged. "Matt, we gotta go shovel."

"Meet you outside," Matt said as he disconnected from the game and shut down the conference call.

Día con nieve

Sami, Ryan y Matt eran los mejores amigos. Habían crecido juntos y juntos lo hacían todo, pero no siempre como un equipo. A menudo les gustaba retarse y ver quién podía hacer algo mejor o más rápido.

Hoy estaban ocupados jugando a un videojuego online mientras conversaban en una sala de chat.

Sami era la artista del trío. Le gustaba dibujar y era la más alta de los tres, aunque sospechaba que Ryan la habría alcanzado para cuando llegara el verano. Matt era el más bajo.

Los amigos nunca se burlaban de sus apariencias. Sabían todo lo que había que saber del otro. Lo bueno. Lo malo... y lo que les daba vergüenza. Hacía muchos años, el padre de Ryan los había apodado "los trillizos".

Ryan era un ratón de biblioteca y tenía muy buenos modales. Sami y Matt se reían de él a veces, pero siempre de forma amistosa. La habilidad de Ryan para hablar con cualquiera les había sacado de apuros más de una vez.

Matt era el gracioso del grupo, y Ryan sospechaba que esa actitud le había servido en más de una ocasión para salir de apuros. Él siempre estaba listo para hacer bromas cuando uno se sentía triste.

La madre de Sami abrió la puerta y asomó la cabeza. —Sami, es hora de dejar el juego e ir a trabajar con la pala. Ya tenemos 15 centímetros de nieve y es mejor empezar mientras todavía hay luz afuera.

—De acuerdo —respondió Sami.

—¡Entendido! —exclamó Ryan—. Matt, tenemos que ir a quitar nieve.

—Nos vemos fuera —dijo Matt mientras se desconectaba del juego y cerraba la conferencia telefónica.

Meet the Author/Illustrator
and the Translater

Conozca al Autora/Illustradora y Traductora

About the Author/Illustrator

"From a very early age, I was taught that there were stories in art and an art to telling stories."

Querida grew up in Monroe, Wisconsin (USA). She learned to draw from her mother who was an accomplished landscape artist and began selling portraits while still a teenager.

She turned to cartooning as a college student and wrote home in comic strip format with "The Adventures of Jacky and Sir" using the family dogs as a substitute for her adventures. While home on break, she created pen and watercolor fashion plates for a local boutique in Monroe, Wisconsin.

After college, she became known as "Sally," the pen-named political cartoonist of Two Cents Worth, for the Wisconsin Counties Magazine. Her first picture book was "The Christmas Leprechaun", written as a Christmas present for her father-in-law and his grandchildren. Years later she would study with Caldecott Medal Winner David McLiman, and venture into creating stories and books for her own grandchildren.

Sobre la Autora/Ilustradora

"Desde muy pequeña me enseñaron que había historias en el arte y un arte para contar historias".

Querida creció en Monroe, Wisconsin (Estados Unidos). De su madre, consumada paisajista, aprendió a dibujar y siendo muy joven comenzó a vender retratos.

Mientras estudiaba en la universidad se aficionó a la caricatura, y desde su casa escribió, en formato de cómic, "Las aventuras de Jacky y Sir", utilizando a los perros de la familia como persoajes de sus aventuras. Cuando estaba en casa por vacaciones, creaba láminas de moda a pluma y acuarela para una boutique local de Monroe, Wisconsin.

Terminada la universidad se dio a conocer como "Sally", la caricaturista política de Two Cents Worth, para la revista Wisconsin Counties Magazine. Su primer libro ilustrado fue "The Christmas Leprechaun", escrito como regalo de Navidad para su suegro y sus nietos. Años más tarde estudiaría con el ganador de la Medalla Caldecott, David McLiman, y se aventuraría a crear historias y libros para sus propios nietos.

About the Translator

Mariela Riva was born in and has always lived in Argentina. As a child she became passionate about languages and literature. From a very young age, she wrote poetry and plays.

At the university she studied teaching and English translation. She has worked for many years as an English and Spanish teacher. In 2008 she began doing technical, scientific, and literary translations as a freelancer. With her knowledge of English and her training in literature, literary translation is a perfect combination of her two great passions, and it is a job she thoroughly enjoys.

She is now married with three young children and fulfilling her dream of translating children's books which she then shares with her own children.

Translation Service English/Spanish and Spanish/English. Also, transcripts, English conversation practice and virtual classes. Inquiries to e-mail somostranslarte@gmail.com or WhatsApp +5492214974782

Sobre la Traductora

Mariela Riva nació y vivió siempre en Argentina, y siendo una niña se apasionó por los idiomas y la literatura. También desde muy joven escribió poesías y obras teatrales.

En la universidad estudió profesorado en letras y traductorado de inglés. Se ha desempeñado durante muchos años como profesora de inglés y español y desde el año 2008 realiza traducciones técnicas, científicas y sobre todo literarias, como traductora independiente. Con su conocimiento de inglés y su formación en literatura, la traducción literaria le parece una combinación perfecta de sus dos grandes pasiones y es un trabajo del que disfruta plenamente.

Ahora, casada y con tres hijos pequeños, cumple su sueño de traducir libros para niños, que luego comparte con sus propios hijos.

Servicio de Traducciones inglés/español y español/ inglés. También, transcripciones, prácticas de conversación en inglés y clases virtuales. Consultas al e-mail somostranslarte@gmail.com o al WhatsApp +5492214974782

Lightning Source UK Ltd.
Milton Keynes UK
UKHW050652090123
415051UK00015B/961